CHIER TOI

Suzanne Monange

accent

Technicienne à la photocomposition : Sylvie Proulx

Dépôt légal : 4ᵉ trimestre 1982
Bibliothèque Nationale du Québec
Bibliothèque Nationale du Canada

ISBN : 2-89066-061-3

Imprimé au Canada/Printed in Canada
Novembre 1982.

À mes fils
Éric et Laurent

S'écrire pour se dire...
La lettre est une intimité partagée entre celui qui écrit et celui qui lit.
Elle est malheureusement trop peu souvent utilisée.
Je dédie donc ces lettres à tous ceux et celles qui auraient voulu les écrire mais qui n'ont pas osé et à tous ceux et celles qui les ont écrites mais ne les ont jamais envoyées.

Suzanne Monange

*«Vos lettres pour moi appartiennent
à ces choses fort rares qui signifient
une continuité à partir de ce qui fut
vers ce qui doit venir.»*

Rainer Maria Rilke

**«les illustrations sont de Vladimir Kerpan,
peintre-sculpteur d'origine yougoslave.»**

...1re LETTRE

Monsieur,

J'ai été, hier matin, très heureuse de vous rencontrer. Et surtout très touchée de ce geste si gentil que vous avez eu de me prêter vos livres. Ils me seront très utiles dans mes travaux.

Si cela ne vous dérange pas, je les garderai quelques semaines.

Je vous les retournerai avec une copie de mes recherches. Mais je vous demande de les accueillir avec toute mon humilité et toute votre indulgence.

Prêter ses livres à une inconnue peut être dangereux; on risque de ne jamais les récupérer. Mais soyez immédiatement rassuré... j'ai noté votre adresse et je vous envoie le tout dès que j'en ai terminé.

Au plaisir de vous revoir. Merci encore une fois.

Avec amitié,

Catherine Grémont

...2e LETTRE

Cher monsieur,

Je ne sais pas si vous vous rappelez de moi. Il y a quelque temps déjà vous m'avez très aimablement prêté quelques-uns de vos livres.

Tel que promis, je vous les retourne en y incluant une copie de mon rapport. Peut-être accepteriez-vous de consacrer quelques minutes de votre temps à le lire? Je ne vous connais pas, mais ce que j'ai appris de vous, me permet de croire en votre jugement.

Si vous croyez que cela en vaut la peine, j'apprécierais énormément une critique de votre part. Car je sais que si vous vous attardez à mon écriture, cela m'aidera grandement.

Mais je ne sollicite rien, croyez-moi. Je vous remercie de ces livres. Ils m'ont été des plus utiles.

Acceptez, cher monsieur, l'expression de toute mon amitié,

Catherine Grémont

...3e LETTRE

Cher ami,

Imaginez ma surprise ce matin de vous voir à la porte de mon bureau!

Vos yeux sourieurs me disaient la joie que vous aviez à venir ainsi me surprendre en plein travail. C'était agréable de vous avoir là, dans ce bureau qui est un peu mon deuxième chez-moi.

«J'aime faire des surprises et maintenant je peux mieux vous situer», me disiez-vous.

Ainsi, c'est aussi la curiosité qui vous a conduit jusqu'à moi. Faites-moi ce genre de surprise aussi souvent que vous le désirez car cela est très agréable. Mais prenez garde, je pourrais bien vous rendre la pareille. Qui sait? Peut-être oserais-je?

Après cette visite inattendue suivie d'un déjeuner en tête-à-tête, je me sens beaucoup plus proche de vous. C'est pourquoi vous pardonnerez ma familiarité si je vous appelle maintenant, mon ami.

J'ai apprécié l'invitation et j'ai été très étonnée de constater que vous aviez lu toutes mes réflexions.

Je vous sais un homme très occupé, c'est pourquoi j'accorde une grande importance à ce déjeuner et au fait que vous me consacriez quelques heures.

J'ai besoin de direction dans mon travail et puisque vous m'offrez si gentiment de m'aider, j'accepte avec plaisir.

Je vais retravailler mes textes dans le sens de vos directives.

Mais me permettez-vous de vous retourner la politesse en vous invitant à déjeuner la semaine prochaine?

Je crois que d'ici là, les corrections seront terminées et j'en profiterai donc pour vous consulter à nouveau puisque vous me le permettez si bien.

Si vous avez un moment pour ce déjeuner, pourriez-vous m'en confirmer la date et l'heure par téléphone à mon bureau?

À bientôt, peut-être,

En toute amitié

Catherine

...4e LETTRE

Cher ami,

Comme le hasard fait bien les choses.
Je n'avais aucune envie d'aller à cette réception et voilà qu'en arrivant je me retrouve face à vous.

Tout à coup, cette soirée qui s'annonçait si monotone a pris une tout autre allure.

«Vous me disiez avoir hésité, vous aussi, à y aller et que c'est finalement l'amitié qui vous lie à votre associé qui vous a convaincu de répondre positivement à son invitation.»

«Vous ignoriez ma présence à cette réunion»! Quant à moi, je ne savais pas que vous étiez l'associé de Louis. Je le connais depuis l'enfance. Mais nous nous sommes quelque peu perdus de vue depuis.

Nous habitions la même rue, nous partagions les mêmes jeux.

J'ai toujours préféré jouer avec les garçons. Les filles m'ennuyaient avec leur poupée. À cette époque, il fallait jouer à la poupée pour être une vraie "jeune fille". Mois j'étais le "Tom boy" du quartier. Je jouais au baseball avec Louis et les autres. J'étais le receveur de l'équipe. Et je criais plus fort que tout le monde...

L'hiver, la même bande se retrouvait sur la patinoire du

quartier. L'éducation étant ce qu'elle était, puisque j'étais une fille, on m'avait d'office, nommée gardienne de but. Les gars disaient qu'en gardant les buts, je ne risquais pas de me faire bousculer. Car une fille, c'est fragile, disaient-ils!

N'ayant pas le choix, si je voulais conserver ma place au milieu de cette bande de gars, je devais donc accepter de garder les filets. Mais là encore, je gueulais à tue-tête, encourageant mes équipiers à "scorer" des buts. Ainsi, nous pouvions quand même gagner la partie même si je laissais la rondelle entrer dans mon filet.

À cette époque, nous n'avions ni équipement, ni protecteur de visage. Et je n'osais pas montrer ma peur devant les lancers de nos adversaires.

Jamais je n'oublierai le grand Jean-Yves qui fonçait vers moi avec toute la vitesse de ses vieux patins, en hurlant comme un possédé. J'avais davantage peur de ses cris que de son lancer, même si, étant le plus grand de la bande, il avait le lancer puissant.

De temps en temps, lorsqu'il arrivait devant moi, je fermais les yeux pour éviter d'avoir peur de lui.

Louis et moi étions inséparables.

Il avait quatre frères et trois soeurs.

Je me souviens du grand poêle à bois qui ronronnait dans sa cuisine et des toasts que sa mère faisait cuire sur le dessus du poêle, c'était tellement bon.

Je disais souvent à ma mère, le matin, que je n'avais pas faim. Cela me permettait de courir chez Louis qui habitait à trois maisons de chez moi pour m'asseoir à la table familiale et manger des toasts que sa mère nous servait avec du sirop d'érable.

Après le petit déjeuner, la mère de Louis berçait son petit dernier. Elle me regardait tendrement et me disait en souriant: «tu sais, Catherine, j'ai encore une petite place pour toi si tu veux que je te berce.»

Chez nous, il n'y avait pas de chaise berçante. Ma mère ne m'a jamais bercée.

Je m'endormais en même temps que le bébé au son de la vieille chaise qui craquait à chaque bercement. Que c'était bon et doux.

J'ai encore au fond de moi, cette odeur du bois qui brûle et des toasts qui cuisent. Quels merveilleux souvenirs!

La mère de Louis était une personne assez corpulente dont le coeur était aussi large que sa charpente.

Il y avait toujours de la place pour la petite Catherine autour de la table familiale. Ils n'étaient pas riches, mais ils étaient généreux.

Cher ami, comme je dois vous ennuyer avec mes souvenirs, pardonnez-moi ce retour en arrière. Mais j'ai remarqué l'autre midi, que vous aviez cette grande qualité de me laisser parler librement.

Je me sens en confiance avec vous et c'est sans doute pourquoi, dès notre première rencontre, je vous ai raconté des choses très personnelles. Et curieusement, j'ai remarqué que vous aviez fait exactement la même chose.

Lors de ce premier déjeuner en tête-à-tête, nous avons échangé des confidences qui m'ont étonnée.

C'était comme si nous nous étions toujours connus, comme si tout d'un coup, il y avait autour de notre table un tel climat de confiance, que le besoin de parler, de se dire des mots presque confidentiels l'emportait sur la réalité; car nous étions deux étrangers assis face-à-face.

J'ai eu alors l'impression très nette que c'était comme si nous voulions tous les deux établir dès le départ qui nous étions et dire ce que nous avions vécu.

Nous ne voulions pas perdre de temps avec des détours inutiles.

Mais jamais auparavant je n'ai raconté ces choses à qui que ce soit.

Et vous ne me semblez pas non plus être du genre qui se raconte facilement. Alors pourquoi spontanément ces confidences?

Nous avions sans doute envie de mieux nous comprendre et instinctivement, nous avons pris le chemin le plus court, sans détour, pour parler de nous. Peut-être en avions-nous grand besoin?

Et puisque vous insistez si gentiment, j'accepte avec plaisir votre invitation à déjeuner.

À mercredi donc, vers 13 heures.

Amicalement,

Catherine

...5e LETTRE

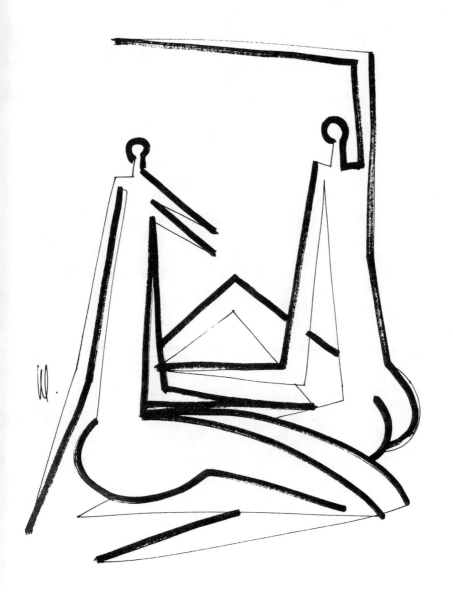

Cher vous,

Merci de cet autre déjeuner.

Mais il faudra vous habituer mon ami, si vous voulez que nous mangions ensemble quelquefois, à ce que je paie l'addition de temps à autre.

Je n'aime pas que vous payiez à chaque fois.

Accordez-moi aussi le plaisir de vous inviter...

Si nous convenions à l'avance, qu'à tour de rôle, chacun paiera l'addition, je me sentirais moins gênée de manger régulièrement avec vous comme vous le désirez.

J'accepterai cette dernière suggestion si vous acceptez la mienne.

Rassurez-vous, je gagne bien ma vie et mon budget ne s'effondrera pas si je vous invite à manger de temps en temps.

«Vous me disiez le plaisir et la joie que vous avez à me lire.» J'ai pensé qu'au lieu d'essayer en vain de nous rejoindre par téléphone, les lettres seraient une communication plus intime et plus réelle que des conversations toujours trop courtes ou coincées entre deux rendez-vous.

Encore une fois, j'ai réalisé à quel point nous sommes bien

ensemble!

Comme c'est agréable de nous écouter, de nous parler.

«Comme nous nous entendons bien», me faisiez-vous remarquer.

C'est facile d'être ensemble et c'est merveilleux de rire à deux.

Ces repas en tête-à-tête sont une parenthèse à nos vies, une pause dans nos vies bousculées. C'est vrai que je me sens en pleine forme après ces interludes à deux. Je me sens stimulée.

Je suis bien en votre compagnie, Monsieur, permettez-moi de vous l'écrire après vous l'avoir dit.

Mais si j'ai osé vous le dire, c'est que vous aviez parlé de «ce plaisir qu'éprouvent deux êtres à se retrouver et que cela fait partie des événements agréables de la vie.»

Vous me parliez aussi de «cette paix que vous ressentez à mes côtés et de la joie que vous aviez à m'attendre à ce restaurant».

Car vous étiez en avance exprès juste pour avoir le plaisir de m'attendre!

L'attente peut être un sentiment agréable quand on sent que la suite est toute proche. J'étais, moi aussi, impatiente d'arriver...

J'ai vérifié mon agenda et oui, je pourrai assister à votre conférence jeudi prochain. Tel qu'entendu, je serai à 17 h à la sortie de mon bureau.

On m'a recommandé un nouveau restaurant récemment, si cela vous tente, je vous y invite. Nous aurons tout le temps avant votre conférence de dîner tranquillement.

À jeudi donc, 17 heures,

Amicalement,

Catherine

...6e LETTRE

Cher vous,

J'ai été fascinée par votre conférence.

Vous dites les choses avec une telle aisance que je comprends pourquoi on se sent si bien en votre compagnie.

Anonyme dans cette foule, je me suis amusée à vous observer et à écouter les commentaires autour de moi.

Je suis directe, me disiez-vous. Alors vous pardonnerez mon audace si je vous dis que vous étiez très séduisant sur cette estrade.

À plusieurs reprises, j'ai senti votre regard se poser sur moi. Je n'ai eu alors pour vous rejoindre qu'à diriger mes yeux vers vous pour échanger un sourire complice... je me sentais chanceuse d'être ainsi secrètement mêlée à votre intimité.

Au milieu de cette foule qui buvait vos paroles, je croyais vous écouter attentivement. Mais je me suis vite rendu compte que je vous regardais bien plus que je ne vous écoutais.

Vous étiez comme un poisson dans l'eau qui se sent parfaitement à l'aise, en contrôle d'une situation pas toujours facile.

Mais pourquoi vos yeux me regardaient-ils de cette façon?

Savez-vous comme ils me réchauffent lorsqu'ils s'attardent ainsi sur moi?

«Si nos yeux pouvaient se parler, que se diraient-ils?»

Vous sembliez le savoir.

Mais le raconterez-vous un jour?

Au prochain rendez-vous!

Catherine

...7e LETTRE

Cher vous,

Ce matin, vous étiez par la pensée, en forêt avec moi.

Et je me sentais bien en votre compagnie, un peu moins seule.

Quoique j'aime la solitude. Je la trouve nécessaire pour mieux vivre en société. Elle permet le recul, le temps de réflexion.

Car si on ne peut être bien avec soi-même, on ne peut être confortable avec les autres.

Je me souviens que Louis m'enviait la solitude que me garantissait mon statut d'enfant unique. Lui qui partageait sa maison avec dix autres personnes. Pendant que moi, j'étais toujours chez lui, recherchant les rires et les cris, lui, voulait jouer chez moi, appréciant le calme et le silence de notre appartement.

J'ai vite réalisé que j'aimais le groupe, la famille nombreuse et l'échange qu'elle permettait. Je m'explique maintenant par la fréquentation de cette famille, ma joie de travailler en équipe.

Je me rappelle que j'allais chez Louis même dans des moments que je n'aimais pas particulièrement.

Je me souviens entre autres de l'heure du chapelet. Chez lui, c'était le moment idéal pour retrouver toute la famille. Tout le monde devait s'agenouiller, les bras suspendus aux barreaux *d'une chaise de cuisine. Je jugeais tout cela totalement inutile mais j'étais fascinée de l'émotion qui se dégageait de ces instants-là.*

Et je me retrouvais très souvent agenouillée, moi aussi, à côté de Louis. Nous échangions des sourires complices à la pensée de nos jeux tout proches. On se dandinait d'un genoux à l'autre en marmonnant un Ave Maria.

Sa mère était la générosité même. Elle vivait le partage à tous les jours. Il y avait huit enfants autour de la table familiale. Lorsque j'y étais, les morceaux étaient plus petits. Mais cela ne posait aucun problème et personne n'aurait songé à discuter le fait que d'avoir la petite Catherine à leur table, faisait que les portions étaient forcément plus petites.

Je suis, paraît-il, de nature généreuse, du moins c'est ce que mes amies me disent. Il est vrai que j'aime partager ce que j'aime et ceux que j'aime.

J'ai toujours envie que les autres découvrent le paysage que j'ai aimé, le livre qui m'a touchée; j'aime que les gens que j'aime se rencontrent.

Mais vous êtes l'exception à cette règle. Je ne veux pas vous partager, vous êtes mon secret. Vous vivez au fond de moi et je n'ai aucune envie que l'on sache que vous y êtes.

Ainsi aujourd'hui, je vous ai amené avec moi en forêt sans que les autres le sachent.

Je vous ai présenté à mes arbres, à mes oiseaux.

Je vous ai cueilli un bouquet de fleurs sauvages que je ferai sécher pour votre bureau.

Ainsi je me prolongerai dans votre quotidien auprès de vous sans que personne ne me devine.

C'était bon, cher ami, de vous avoir à mes côtés durant cette promenade.

L'avez-vous senti?

Comme l'amitié qui nous rassemble, ces fleurs, un jour, vous parleront de moi...

L'autre soir, à la réception, Louis m'a dit que vous lui aviez parlé d'une rencontre particulière.

Lorsque vous lui avez mentionné mon nom, il hésitait, m'a-t-il dit, à vous dire qu'il me connaissait.

Ainsi, vous parliez de moi à votre associé...

Il ne voulait pas répondre aux inévitables questions que vous lui auriez posées m'a-t-il confié, car il désirait que vous me découvriez tout seul.

Et puis qu'aurait-il pu vous dire sinon notre enfance, car nous ne nous sommes pas beaucoup vus ces dernières années.

À demain soir, devant un bon repas!

Et vous savez bien que je nous aime dans ces moments-là.

Catherine

...8e LETTRE

Cher vous,

Vous auriez dû voir ma tête ce matin lorsque j'ai ouvert la boîte pour en sortir les deux roses rouges que vous m'avez envoyées.

J'ai apprécié l'humour gentil de la carte: «Avec amitié et sans méchanceté.»

J'ai eu beaucoup de difficulté à dormir hier soir.

Ce repas, suivi de ce long baiser dehors dans le stationnement du restaurant, m'a quelque peu bouleversée.

Je vous ai dit que vous étiez méchant avec moi car ce baiser m'a fait mal, m'a remuée au plus profond de mon être; un mal terriblement délicieux.

Je regrette qu'à ce moment-là mon âme ne vous fût pas plus hospitalière; vous m'avez prise par surprise.

Je sais votre envie de m'apprivoiser, mais donnez-moi le temps. Vous arrivez à un moment dans ma vie où tout est rangé, structuré, organisé.

Je ne vous attendais pas... et vous voulez vous immiscer dans un espace, libre certes, mais qui est depuis longtemps endormi, inutilisé.

Ne soyez pas pressé avec moi. Prenez le temps, oui, tout le temps.

Ne me bousculez pas.

Une source a jailli tout au fond de moi hier soir dans vos bras. Je l'avais crue asséchée depuis longtemps. Quel choc de ressentir ces sensations sur ma peau.

Soyez patient, je suis sauvage. La solitude est mon amie depuis si longtemps que je ne sais plus comment vivre ces émotions.

Voilà pourquoi, sur la défensive, je vous ai traité de méchant.

Cette belle défensive que je vous avais présentée, vous l'avez traversée si facilement. Moi qui me sentais si sûre de moi en vous avouant mes émotions!

Je ne craignais jamais de vous dire que oui, vous me plaisez, oui, je me sens bien lorsque vous me regardez, oui, je suis émue devant vous. Mais voyez-vous, je ne me pense pas prête à me lancer dans une aventure avec vous, pas encore.

Je suis dans une période calme de ma vie, où tout ce que j'avais planifié s'est presque réalisé.

Je ne veux plus vivre en attente.

Je déteste être en attente d'un homme.

Je n'aimerais pas vivre toujours attendant de vous voir, de vous parler.

Je deviens vite désemparée, j'en suis dérangée dans ma vie, dans mon travail.

«C'est dommage, me disiez-vous car il me semble que nous avons beaucoup en commun. Nous aimons nous retrouver,

nous parler, nous regarder, nous écouter; la communication est si facile entre nous», avez-vous ajouté.

Pourquoi suis-je tant sur la défensive?

Hier soir, je vous disais que je suis incapable de faire l'amour avec quelqu'un comme cela juste pour le plaisir.

Je dois pouvoir communiquer, je dois me sentir émue, je dois être touchée dans mon être avant de me laisser aller dans ma peau.

«Mais tout cela, nous le vivons, Catherine, m'avez-vous fait remarquer. Alors pourquoi refusez-vous une étape qui est si normale?»

«Il me semble, disiez-vous, que nos yeux se font déjà l'amour... Les gens qui nous observent, Catherine, doivent bien voir que mes yeux font l'amour aux vôtres dès qu'ils se posent sur vous. C'est sans doute pour cela que vous vous sentez si bien lorsque je vous regarde.»

«Catherine, j'ai envie de vous et je sais que vous avez envie de moi. Mais je suis d'accord, prenons le temps de nous apprivoiser mutuellement. Nous avons tout notre temps. Je suis heureux en votre compagnie, Catherine, ne vous éloignez pas de moi.»

Ce matin, je repense à ces mots. C'est bon de vous savoir là. Je me suis enfermée derrière des barrières si longtemps que ce sera difficile de les ouvrir. J'essaierai, je vous le promets.

Vous partez quelques jours et cela me permettra d'y réfléchir. Je vous téléphonerai à votre retour.

Mais, je veux vous dire que, comme vous, lorsque vous pensez à moi, cela me fait du bien à moi aussi de penser à vous.

Amicalement, ou est-ce "amoureusement"?

Catherine

...9e LETTRE

Cher vous,

Mon Dieu que cette journée de plein air m'a fait du bien.
Comme c'était agréable de jouer au tennis avec vous. Je n'ai
jamais été une championne mais vos encouragements d'hier
m'ont aidée à améliorer mon jeu.

Quel professeur vous êtes!

Vous étiez aussi séduisant en short qu'en tenue de ville. J'ai
aimé cette journée et je vous remercie d'avoir osé me
demander de vous accompagner. Oui c'est vrai que j'hésitais à
vous rejoindre.

Quand vous avez téléphoné, mon coeur s'est mis à accélérer
et c'est seulement en raccrochant qu'il a ralenti. J'ai alors
réalisé à quel point, moi qui déteste attendre, j'étais en position
d'attente face à vous.

Oui j'avais envie de ce coup de téléphone, mais après mes
hésitations de la semaine dernière, je n'osais pas le faire.

Non pas parce qu'une femme ne doit pas faire les premiers
pas, foutaise que tout cela, diraient les féministes, mais
simplement parce que après cet interlude si doux de l'autre soir
et mon refus de vous écouter, je me sentais mal à l'aise.

On dirait qu'une partie de moi veut de vous et que l'autre se le *refuse.*

En fait, c'est George Sand qui disait: «Il n'est pas dans ma nature de gouverner mon être par la raison quand le coeur s'en empare.» Sans doute suis-je déjà sur ce chemin!

Au fond, je réalise que j'ai peur d'être blessée, d'avoir mal.

Les relations humaines sont si difficiles à vivre.

Les relations d'amour ne sont pas plus faciles.

Deux êtres se rencontrent, se revoient, se plaisent, s'embrassent, se font l'amour, puis se quittent.

J'ai déjà vécu «ce pattern», je ne l'aime pas. Il est égoïste, il fait souvent mal. Souvent il convient aux hommes et il déçoit les femmes.

Il n'est qu'érotique et j'ai besoin de plus que cela.

Les êtres veulent toujours se posséder, ils vont trop vite, ils ne savourent rien.

J'ai eu par le passé une certaine difficulté à respirer, à vivre, dans une telle relation. Je suis méfiante et vous n'y êtes pour rien. Tout cela ne vient pas de vous mais de ce que vous pourriez devenir.

Il faudra faire attention.

Je sais que vous voulez faire un bout de chemin avec moi mais allons-y doucement, tendrement.

Oui, voilà le mot, tendrement. J'ai besoin de tendresse, mon ami, de toute votre tendresse.

Et je crois que j'ai un peu peur de me faire servir un plat de mets érotiques.

Oh! je ne suis pas contre l'érotisme, au contraire; il apporte une enveloppe de piquant, de couleur, de bonne humeur à la tendresse.

Mais j'ai été si souvent privée de l'une au détriment de l'autre que j'ai oublié la douceur de la tendresse. Sauriez-vous me la redonner?

Je ne sais pas pourquoi je vous pose cette question, car je vois tant de tendresse au fond de vos yeux que mon corps vibre à chacun de vos regards.

C'est si doux de se faire regarder avec ces yeux-là...

J'ai aimé la chaleur de vos lèvres, hier.

Il y avait là tant d'émotion, tant de passion.

On est bien contre vous.

J'ai tant de caresses retenues qui dorment en moi que j'ai un peu peur de cette boîte à surprise qui s'ouvrira tout d'un coup à un moment donné.

Donnez-moi le temps.

Vous avez dit: «Nos corps se cherchent Catherine, ne le sentez-vous pas?»

Oui je le sais, je le sens tout comme vous, mais attendez-moi encore un peu.

Moi

...10e LETTRE

Cher toi,

J'ai aujourd'hui une grande envie de vous dire «tu».

J'ai remarqué dernièrement que vous passiez du vous au tu avec moi assez facilement; et pas seulement lorsque vous me serrez dans vos bras...

Tu me disais «qu'après nos yeux, ce sont maintenant nos lèvres qui se font l'amour.» Et tu aimes les sentir sur les miennes... Moi aussi!

Je devinais qu'il y avait un espace pour toi dans ma vie mais je ne pensais pas que tu le remplirais à ce point.

Mon corps te répond et me dit des choses.

Parfois je me sens comme si j'avais un petit ascenseur qui monte et qui descend selon que tu me regardes ou non, selon que tu m'embrasses ou non.

Et j'aime cette douce sensation qui me monte du coeur!

Cette douceur qui est tienne me rend frissonnante, coulante, réceptive. Tu le sens n'est-ce pas?

Je sais que tes mains seront chaudes, pleines.

Je les devine impatientes.

Certaines fois, il y a dans l'impatience quelque chose d'assez agréable.

Le geste à venir prend toute une importance puisqu'il est retenu!

Il est mystérieux, secret.

Il est surtout si espéré.

Tu sais que je dois me rendre à New York, en fin de semaine prochaine.

Tu veux absolument m'y rejoindre?

Oui, viens me retrouver...

Je quitte vendredi matin pour revenir samedi soir.

J'ose finalement franchir ce premier pas dans l'intimité amoureuse.

Je me sens bien avec toi et cela me rassure quant à ce devenir qui nous attend.

J'aurai besoin de toute ta tendresse, de toute ta gentillesse.

J'ai perdu l'habitude de l'amante... celle qui reçoit et celle qui donne.

Tu me devines anxieuse n'est-ce pas? C'est vrai, je suis en même temps nerveuse et heureuse.

Je sais bien qu'au fond, cette envie que nous avons l'un de l'autre, est venue presque au premier regard que nous avons échangé.

Te souviens-tu de cette première fois?

Au moment où nous avons été présentés l'un à l'autre, notre regard s'est adouci.

Nous nous sommes longtemps regardés.

Moi, j'avais de la difficulté à regarder ailleurs.

Je pensais que tout le monde le remarquerait.

J'ai alors constaté que toi aussi tu me cherchais des yeux.

Je sais maintenant que tu as utilisé tes livres comme prétexte pour garder le contact avec moi. Tu savais bien qu'il me faudrait te les retourner un jour.

Je me souviens, ce premier matin de notre rencontre, j'avais envie de rester à tes côtés et j'étais presque fâchée contre ceux qui t'ont arraché à moi.

Et je me rappelle qu'à plusieurs reprises tu t'es rapproché pour me parler et à chaque fois, mon coeur me disait les choses un peu plus rapidement que d'habitude.

Je me souviens que j'ai accepté avec beaucoup trop d'empressement ton offre de me prêter des livres.

Je savais moi aussi, inconsciemment ou non, qu'ils me permettraient de te revoir.

C'est surprenant comme le hasard peut transformer une grande émotion en une réalité nouvelle.

C'est cette réalité que je veux vivre maintenant.

La nôtre.

Moi

...11e LETTRE

Cher toi,

De retour au travail après ces merveilleuses vingt-quatre heures passées à New York ensemble, je me sens, ce matin, encore pleine de nous.

Ma peau a toujours le souvenir de tes caresses.

Mes lèvres sont encore gonflées par la pression de ta bouche.

Mon corps est tout chaud de notre odeur, et t'écrire me fait revivre ces vingt-quatre heures.

Il me semble que je flotte sur un nuage de tendresse...

J'avais oublié comme le corps est sensible!

Que c'était doux, tendre, et merveilleusement amical.

La tendresse amoureuse nous va définitivement bien.

Mes sens désormais t'appartiennent, ils portent ton nom.

J'aime ce que nous sommes devenus.

«Nous avons été si bon l'un pour l'autre, m'as-tu dit.»

Oui c'est vrai, nous nous sommes fait du bien, rien que du bon.

J'avais peur, tu l'as bien senti. Tu me savais gênée, nerveuse, ce qui est bête, je le reconnais, car je ne suis tout de même plus vierge.

Mais c'était la première fois pour nous deux, n'est-ce pas?

Se connaître dans l'amitié et dans le regard et se connaître dans le toucher n'est pas la même émotion.

Aller plus loin dans l'intimité demande de s'oublier l'un dans l'autre, l'un pour l'autre.

Et tu m'y as aidée de la plus belle façon.

Tu m'as vite conquise avec ta douceur, avec ta tendresse, avec ton regard.

Ces yeux, qui me font tant de bien lorsqu'ils me regardent, m'ont vite réchauffée et m'ont aidée à me rapprocher de toi.

Me retrouver nue dans tes bras m'a fait trembler comme une feuille.

Et plus tu me serrais, plus je tremblais.

Et puis tes lèvres m'ont cherchée, m'ont rassurée, m'ont détendue.

Cher toi, tu m'as goûtée de bien belles façons...

Tu me disais au petit matin que je ferais une maîtresse exceptionnelle; je me fie à tes expériences féminines pour être touchée de ce cri du coeur!

C'est toi qui as permis cela t'ai-je répondu.

Mes mains avaient une telle soif de ta peau et ma bouche, une telle faim de toi, que tu m'as inspirée.

Je connais désormais chaque parcelle de ta peau.

J'ai osé des gestes qui ont été une découverte pour moi.

Et l'érotisme éclatait en moi parce que mon corps était plein de sensations nouvelles ou longtemps ignorées.

Moi aussi, j'ai aimé te goûter.

Tu m'as confié avoir connu, entre mes lèvres et mes doigts, une première expérience qui t'a comblé. Tant mieux, j'avais une telle envie de me faire plaisir et de te faire plaisir.

Mes lèvres avaient hâte de te découvrir; j'avais besoin de goûter à tous les pores de ta peau: les plus intimes, les plus enfouis, les plus inaccessibles, même les plus inattendus comme cette petite peau entre les orteils. Comme l'amour est fou lorsqu'il est heureux...

Je n'ai pas dormi durant cette nuit à deux.

Toi, tu as ronflé quelques instants à mon oreille, mais j'étais bien.

J'avais ton corps abandonné à mes mains qui n'en finissaient plus de te chercher, de te caresser.

Et tu en murmurais de si belles façons...

C'était comme si je voulais rattraper tout d'un coup, toutes ces années de grande solitude.

Mon ami, j'ai aimé chacun de tes gestes.

D'abord ta délicatesse à nous inscrire avant que j'arrive.

Puis lorsque tu m'as attendue, en bas, dehors, tu étais souriant et si séduisant avec la clé de notre chambre dans ta main.

«Comme tu es belle, viens, il y a toi et moi qui nous attend là-haut, m'as-tu murmuré à l'oreille.»

Vin blanc! Vin rouge! Champagne!

Tu as bien fait les choses, cela ressemblait à une fête!

Ensuite, tu m'avais préparé un bain chaud que j'ai pris en t'écoutant derrière la porte badiner sur mon voyage.

Et puis tu m'as accueillie dans tes bras, tout contre toi, me disant: «enfin tu es là».

Debout, nous étions serrés l'un contre l'autre, incapables de nous dire un mot, chacun respirant l'autre.

Ton corps collé au mien me parlait si bien.

Je ne me souviens plus combien de temps nous sommes restés ainsi, l'un au creux de l'autre, le coeur battant si fort d'un même rythme. Si bien, oui, si bien.

Le silence de ces premiers instants nous a unis plus que tout ce que nous vivrons par la suite, j'en suis certaine.

Te souviens-tu comme nous nous sommes regardés, longtemps, dans le silence de cette chambre?

Tu as dit: «c'est si bon de te voir seule sans personne autour. Je me régale de t'avoir ainsi en face de moi dans la plus grande solitude.»

Et tu t'es rapproché et tu m'as embrassée.

D'abord lentement, doucement, délicatement.

Puis tes mains m'ont parcourue et tes lèvres m'ont caressée.

Et mon corps attentif s'est ouvert à toi.

Que j'aime le son de nos corps heureux!

Et toi, tu aimes sentir ma peau te dire sa joie d'être touchée, d'être émue!

Pendant ce temps-là, tu me cherchais, tu me trouvais, tu me perdais et tu me retrouvais avec tant de douceur.

Tu es si doux dans l'amour qu'on a envie dans ces moments-là de crier «je t'aime».

Pourquoi ces mots si usés nous remontent-ils aux lèvres?

Que veulent-ils dire qui n'a pas déjà été dit tant de fois?

Il me semble que nos yeux, nos mains et nos lèvres se le disent tellement mieux.

Et puis nos corps qui se touchent, qui se caressent, ne se le disent-ils pas de la plus belle façon?

Que dire de ce souper qui nous a réunis après l'amour, en un tête-à-tête si riant, si tendre l'un à l'autre...

Sais-tu que ces 24 heures sont les plus belles de ma vie de femme?

«Tu les as nommées inoubliables, uniques, rares, très rares dans la vie d'un homme et d'une femme.»

J'ai réalisé que nous ne sommes pas que des amants, nous sommes des amis.

«Tu étais bien en moi»...

Laisse-moi te dire comme c'était bon de te sentir.

Moi

...12e LETTRE

Cher toi,

Tu m'as déjà dit qu'il t'arrivait souvent de prendre ton petit déjeuner au bureau à cause de réunions matinales.

Me souvenant de cette habitude, j'ai donc décidé hier matin de venir t'y surprendre.

Je t'avais dit, un jour, que moi aussi je pourrais te faire une surprise.

Tes yeux et ta joie m'ont fait comprendre que je ne m'étais pas trompée.

Je savais que cette visite improvisée te ferait plaisir.

Enfin moi aussi, je peux maintenant, mieux te situer dans ton travail.

Je t'avais promis un bouquet pour ton bureau.

Il aura fallu du temps et de la patience pour les sécher, mais j'y suis arrivée.

J'ai voulu que ces immortelles te disent chaque jour que je suis là quelque part dans ta vie, présente dans ton quotidien.

Place-les devant ton regard, elles te parleront de moi.

Elles te rappelleront ce que nous sommes.

Lorsque dans ton bureau, tu m'as serrée dans tes bras, tu voulais graver ce moment quelque part dans ta mémoire, n'est-ce pas?

Car c'est le rêve des amoureux de se voir à tout moment de la journée.

Et nous savons tous les deux comme cela est impossible.

Je me souviens de ta présence à mon bureau; je n'ai qu'à fermer les yeux de temps en temps pour t'y retrouver.

J'ai eu l'impression que tu venais tout juste de faire la même chose: tu me cherchais une petite place dans ton bureau.

Tu devrais pourtant savoir que j'y suis tout le temps, même lorsque je suis absente.

Tu ne sais comment nommer cette émotion qui nous unit!

Est-ce l'amour? Est-ce l'amitié amoureuse?

La Tendresse amoureuse?

Est-ce une aventure?

Pourquoi lui donner une étiquette?

Laissons vivre ce que nous sommes. Je n'ose nommer ce que nous vivons de peur d'encore une fois me tromper.

Mais je suis venue hier matin parce que j'avais hâte de quitter le souvenir pour te retrouver à mes côtés.

Je me demandais comment nous serions après nos 24 heures à New York.

Tes bras m'ont vite retrouvée; je te sens heureux.

Sais-tu comme je suis bien?

Je t'amoure tellement,

Moi

...13e LETTRE

Cher toi,

Tu crois qu'à ce dîner hier soir, ils auront deviné?

Tu crois qu'ils savaient?

Il fallait être aveugle pour ne pas nous remarquer.

Tu me mangeais des yeux et je n'arrivais pas à soutirer les miens à ton regard.

Ils ont dû nous envier, ne crois-tu pas?

Mais ils se sont montrés discrets, respectueux de ce qui se passait entre nous.

«C'est bon Catherine de t'avoir à mes côtés et de te regarder» m'as-tu chuchoté à l'oreille.

Tu sais que l'autre soir, à New York, même si tu l'as murmuré du bout du coeur, j'ai quand même entendu ton «je t'aime» en me quittant à la voiture.

J'ai fait semblant de ne rien entendre, mais je l'avais entendu.

Il m'a surpris; toi aussi, je crois.

Mais au fond, les mots ont-ils une importance quand les sentiments sont si présents?

Nous savons tous les deux ce que nous vivons.

Et ce qui est, n'a pas toujours besoin d'être dit.

«Il faudra nous donner de l'espace car il est tout à fait impossible, me disais-tu, de vivre ces 24 heures aussi souvent que nous le souhaiterions.»

Mais il est parfois beaucoup plus facile de retenir l'autre que de le laisser aller.

J'aime ce que nous sommes justement parce qu'il est libre.

Attachant mais non attaché.

Ce que je ressens est bon, merveilleusement ouvert.

Je sais que tu ne veux pas m'étouffer, que tu veux être attentif à ce que nous respections notre mutuelle liberté.

Tu me disais vouloir t'insérer doucement en moi.

Combien de fois devrai-je te redire toute la place que tu y occupes.

Tu vis en moi.

Hier, j'ai aimé cette danse collée à toi.

Tu me portais de si douce manière.

La musique nous a bercés durant de longues minutes et serrés l'un à l'autre, nous avons vite oublié le monde autour de nous.

Comme nous étions bien!

Ton souffle à mon oreille me disait sa chaleur, me racontait son bonheur.

Mon ami comme je nous aime dans ces moments-là!

Moi

...14e LETTRE

Dis-moi, qui étais-tu avant de me connaître?

Un jour, tu m'as dit: «avec toi, Catherine, j'accepte mes émotions, je laisse enfin mon corps s'exprimer.

Je cède le pas à cet autre moi qui se nomme tendresse.

Je m'éveille.

Tu sais Catherine, les hommes ne sont pas habitués à vivre la tendresse.

Pourtant, elle est en eux mais ils la cachent, ils la taisent.

Avec toi, je me sens parfois comme un jeune chat ronronnant de bonheur parce qu'heureux d'être si bien.

Avec toi, je cesse de jouer.

Comme tout est simple quand on se laisse aller, quand on se laisse bercer, caresser, quand on n'a plus rien à prouver, quand on ne veut plus dominer. À tes côtés, je ne sens ni pression, ni tension. Catherine, pourquoi les hommes ont-ils peur de la tendresse?

Ont-ils peur de s'y perdre?»

J'ai souri en t'écoutant, pardonne-moi.

Les hommes dans ma vie ont tous eu en commun cette peur de vivre leur tendresse.

Ils me laissaient exprimer la mienne mais eux se réfugiaient dans leur virilité de séducteur.

L'homme s'aime lorsqu'il séduit,

Mais il prend peur lorsqu'il est séduit.

L'homme aime la tendresse féminine,

Mais il se sent ridicule s'il vit la sienne.

Avec moi, tu es homme et femme dans tes émotions.

Tu vis la tendresse. Tu la reçois et tu la donnes.

Tu me cherches et en même temps, tu t'offres.

Nous ne nous jouons pas le rôle de l'homme-homme et de la femme-femme.

Nous sommes l'un ou l'autre et parfois, l'un et l'autre.

Celui que tu étais autrefois doit bien envier celui que tu es devenu!

Je ne sais pas qui tu étais avant, mais j'aime ce que tu es maintenant.

Tendrement nôtre,

Moi

...15e LETTRE

Cher toi,

Dans la vie, on est quelquefois effrayé que la réalité soit moins belle que le rêve.

J'espérais ces quelques jours à deux mais je m'inquiétais un peu de ce que nous allions vivre.

Tu me disais hier avoir découvert en moi, une Catherine qui te plaît.

«Celle du bord de mer, celle de la solitude.»

C'est vrai que la mer me retient, m'enivre, me nourrit.

Je me repose en elle. Je m'isole à ses côtés.

Pour moi, il n'y a pas plus belle musique que le cri perçant et répétitif du goéland se mêlant à la vague qui se brise sur la plage. Ce son marin me ravit à chacune de mes visites. Cette fois-ci, tu as partagé mon bonheur.

C'est St-Exupéry, qui disait «qu'aimer, c'est regarder ensemble dans la même direction».

J'ai senti, au creux de tes bras, toute la beauté de cette petite phrase.

Durant ces quelques jours, nous avons souvent,

silencieusement, écouté la mer. Serrés l'un à l'autre, nous l'avons humée, regardée, goûtée.

Et nous avions le même regard.

Et nous échangions le même geste.

Nos yeux se sont rejoints quelque part dans la ligne d'horizon...

As-tu remarqué comme à chaque fois que tu conduis la voiture, je te savoure presque à ton insu? Je te regarde, et tu te sens gêné parfois d'être ainsi observé sans que tu ne puisses tourner la tête.

Tu t'es bien vengé, n'est-ce pas, là-bas au bord de la mer?

Assise durant des heures dans un coin de sable, j'ai laissé mon regard se bercer au rythme des vagues. Et quelquefois, j'ai constaté que tu m'observais, à distance, silencieusement, tout en lisant.

Rilke demandait à son jeune poète d'être près des choses. «Elles ne t'abandonneront jamais si tu sais bien les regarder», disait-il.

Chaque fois que j'aborde la mer, j'ai l'impression qu'elle me reconnaît.

Si tu savais comme elle me fait du bien, comme elle me détend.

Elle est tout...

Elle est enviée et redoutée. Elle est caressante et dévorante. Elle est abandon et passion.

On l'aime et on la craint. Elle donne et elle prend. Elle rassure *et elle inquiète ceux qui l'abordent.*

Elle a du caractère. Elle crée et recrée. Elle exprime et s'exprime. Elle est la continuité. Elle est la vie renouvelée. Elle est liberté.

Je ne veux pas vivre une vie indifférente, une moitié de vie.

Je veux tout vivre. Je suis entière.

Tu as découvert que je suis fille de grand air; que ce soit à la campagne ou à la mer, je me ressource à son contact.

En fait, ce que j'aime dans la mer, c'est sa capacité de renouvellement.

J'y puise là une force qui m'aide à être moi-même.

Merci pour cette solitude à deux,

Moi

...16e LETTRE

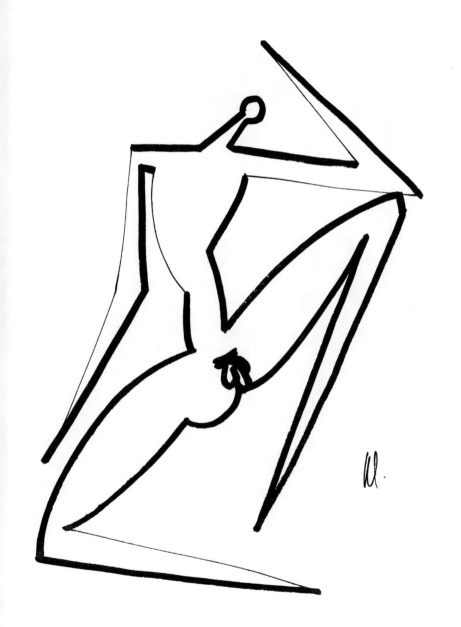

Cher acoquineur,

Tu m'as demandé l'autre jour de vérifier la définition du mot «acoquiner».

Car tu me taquinais en disant «que l'on s'acoquinait toi et moi en ce moment.»

— S'acoquiner: une habitude à laquelle on prend du plaisir. —

Une habitude? Non ce n'est pas ce que nous sommes, surtout pas.

On prend du plaisir? Mon Dieu que oui! Alors M. Larousse aurait un peu pensé à nous en définissant son mot...

Quand tu dis que nos lèvres se font l'amour c'est si vrai que lorsqu'on m'embrasse sur la bouche, je me sens agressée si on insiste un peu trop. C'est un «n'y touchez pas, il s'agit d'un territoire privé».

La tendresse s'infiltre souvent dans mon quotidien.

Tu me disais «qu'elle vient aussi te surprendre quelquefois dans tes réunions, dans tes discussions».

Si l'image de ce que nous sommes apparaît dans nos journées, c'est qu'elle commence à s'immiscer en nous, qu'elle occupe un espace de plus en plus grand.

C'est que l'on commence à vivre à l'intérieur de soi et à

l'intérieur de l'autre.

Chaque fois que tu me regardes, je pense à ces mots d'André Gide; «que l'important soit dans ton regard et non dans la chose regardée.»

Lorsque tes yeux s'attardent sur moi,

ils me disent de si jolies choses!

La tendresse laisse une belle trace chez ceux qui la reçoivent et chez ceux qui la donnent.

Tu m'as dit «Catherine, notre relation sera ce que nous voulons qu'elle soit. Elle sera courte si elle n'est qu'érotique.

Elle sera ouverte sur l'avenir si nous sommes attentifs.

Car vois-tu, Catherine, nous sommes en apprentissage l'un de l'autre.

Nous nous apprenons lentement».

Dans la vie, le ying et le yang partout s'affrontent.

On doit vivre à la fois le jour et la nuit, l'ombre et la lumière.

Nous sommes un peu comme la fleur qui a besoin de la pluie et du soleil pour s'épanouir.

L'alternance empêche-t-elle l'accoutumance?

Nous sommes à la fois le printemps et l'automne

et même parfois l'hiver et l'été en même temps.

Nous voulons tout vivre. Le pourrons-nous souvent?

Tu me fais du bien juste de te savoir si proche.

Moi

126

...17e LETTRE

Cher toi,

As-tu vu comme le maître d'hôtel nous protège?

Il nous dirige à chaque fois vers ce petit coin tranquille, à l'arrière du restaurant.

Je pense qu'il a compris notre envie de solitude. — De toute façon, il n'a qu'à regarder les assiettes que nous retournons toujours pleines...

C'est comme si le simple fait d'être ensemble nous rassasiait bien plus que de manger.

«L'amour se suffit à lui-même», disait quelqu'un dont j'ai oublié le nom.

Et nous n'avons jamais très faim lorsque nous mangeons ensemble...

Moi aussi, comme toi j'ai besoin de te dire «je t'aime».

Pourquoi les êtres qui sont bien ensemble ont-ils toujours ces mots aux lèvres?

Car on dit je t'aime à sa mère, à son père, à sa fille, à sa soeur, et même à son chien ou son chat.

Ce n'est jamais le même «je t'aime» et pourtant c'est dit avec les mêmes mots et presque de la même manière.

Mais ces mots tu me disais ne pas les avoir entendus souvent.

Dans ma jeunesse, on se les disait tout le temps.

Entre amis, entre parents, entre enfants.

Je regrette que ton enfance ait été marquée d'événements malheureux, car l'enfance, c'est la racine de l'être humain.

Je crois que le plus beau cadeau que l'on puisse faire à une personne, c'est de lui donner une belle enfance.

De nombreuses personnes ont tissé ma mémoire de souvenirs heureux.

Et je me sens riche de tous ces êtres.

Je suis certaine qu'une grande partie de mon moi d'aujourd'hui prend sa source à travers eux.

Je sais que j'ai eu une certaine chance.

On ne mérite pas son enfance, on nous la donne.

On ne peut que la vivre ou la subir.

On en profite rarement au moment où on la vit.

C'est finalement beaucoup plus tard que l'enfance nous remonte à la mémoire.

Et à cet instant-là, il est trop tard pour la vivre, on ne peut que la re-vivre.

Mes parents m'ont permis, toute petite, d'aller jusqu'au bout des expériences.

On m'a laissée libre très vite, me donnant de multiples choix à *explorer et une foule de gens à connaître.*

Je leur en suis infiniment reconnaissante, maintenant.

Je regrette que tes expériences aient été limitées et que ton enfance ait été si triste.

Malheureusement on ne peut reculer dans le temps.

On ne peut se refaire une enfance.

Et qu'on le veuille ou non, elle nous remonte toujours de quelque part.

Ne t'y attarde pas puisqu'elle te fait mal.

Mais je sais bien que tu ne peux l'oublier...

Peut-être mes caresses remplaceront-elles un petit peu toutes celles que tu n'as pas connues dans ton enfance?

Parfois, je sens dans tes mains qui me parcourent toute cette tendresse qui est en toi... inassouvie et presque inavouée.

Je suis touchée de tes confidences; continue si cela te fait du bien.

Ton enfance, laisse-la vivre en toi! Tu n'en es pas responsable.

Je sais que je n'arriverai jamais à compenser pour tous ceux et celles qui ne t'ont rien donné.

Ferme les yeux et laisse-toi faire!

Oublie un peu ton travail et laisse-toi vivre.

Nous n'avons pas de passé ensemble, toi et moi, et nous n'en sommes pas malheureux.

Nous nous écoutons être!

Nous sommes en devenir.

Tu peux être triste de ton enfance; accepte cette tristesse.

Mais sois heureux aussi de ce présent que nous sommes.

Moi

...18e LETTRE

Cher toi,

En pensant à nous aujourd'hui, j'ai eu envie de t'écrire un poème.

Car, à chacune de nos rencontres, tu t'exprimes un peu plus et tu m'inventes l'amour.

Et j'ai eu envie de le dire dans un poème. Le voici:

NOUS

Entre nous, l'amour est unique.

Quelquefois, l'amour est regard

et l'amour est caresse.

Des fois, l'amour est silence.

À d'autres moments,

l'amour est passion.

De temps en temps,

l'amour est érotisme.

Mais toujours, l'amour est amitié.

Parfois, l'amour est rieur

ou l'amour est humour.

Quelquefois, l'amour est folie

et l'amour est frisson.

Mais toujours, l'amour est bonheur.

Souvent, l'amour est douceur.

Jamais, l'amour n'est tristesse.

Jamais, l'amour n'est regret.

Entre nous,

Toujours, l'amour est tendresse.

Je dois bien admettre avec toi que notre relation ne correspond pas aux normes amoureuses.

Nous sommes d'une autre race, d'une autre espèce.

De ceux qui ont autant de plaisir à manger ensemble qu'à se retrouver dans les mêmes draps.

Chez nous, la relation n'est pas faite uniquement que de génitalité, elle est aussi sensualité.

Elle nous ramène quelquefois l'un l'autre dans des lieux publics où perdus au milieu de la foule, nous nous savourons, nous nous regardons, nous nous caressons discrètement.

Lorsque tu me disais «il faut prendre le temps», tu voulais garder notre relation vivante, toujours amoureuse.

Ceux qui limitent leurs rencontres à une chambre aux volets fermés manquent sûrement de tendresse et les rapports amoureux sont alors sans aucune séduction.

Nous, nous avons un espace pour chaque émotion.

Chaque instant est vécu dans son entier.

Tout devient prétexte au plaisir.

Je me souviens t'avoir un jour suggéré que si tu classais mes lettres, il valait mieux les jeter, mais que si tu aimais les relire, de les ranger près de toi.

Ce n'est que bien plus tard que tu m'as avoué connaître un réel bonheur en me relisant.

Lorsque au téléphone, j'entends ton «bonjour, c'est moi», je frissonne. Et je laisse ce plaisir couler en moi doucement.

Nous laissons vivre tous nos sens et nous allons au bout de chacune de nos émotions.

C'est sans doute ce que ce poème voulait dire.

Avec toi, je me sens «femme» plus que jamais.

Moi

...19e LETTRE

Cher toi,

Hier, jour anniversaire pour moi.

Je t'ai espéré, mais en vain.

Vois-tu comme c'est fort "l'attente".

Dieu que je déteste cela.

On se sent si à la merci de l'autre.

Mais j'avais complètement oublié que tu passais quelques journées à l'extérieur de la ville.

Je me suis souvenue trop tard que tu m'avais dit ton impossibilité à me rejoindre en cette journée et que nous dînerions ce soir ensemble.

Mais j'avais déjà connu l'attente depuis plusieurs heures!

Finalement ce soir, tu es venu me chercher en me disant que tu avais une surprise pour moi.

Je n'ai pas voulu te dire ma déception de ne pas te voir hier car tu te serais bien moqué de moi sachant que nous en avions discuté la semaine dernière.

Comme j'aime quand tu me serres fort dans tes bras.

Je m'y sens au chaud, au calme.

Et j'aime lorsque nos langues se fouillent et se cherchent.

Tu me fais alors un mal si doux jusqu'au plus profond de mon être...

Je te sens dans ces moments-là, comme un adolescent, tout à fait heureux, même un peu fou!

Tu m'as surprise avec cette main tendue au-dessus de la table en me demandant de fermer les yeux.

Tu as déposé un si joli bracelet... avec ce petit mot: «je suis heureux avec toi»!

Ainsi, tu as eu le temps de penser à moi, même si tu ne pouvais me rejoindre...

Peut-on dire merci avec de nouveaux mots?

Ce mot est si usé qu'on voudrait en inventer un autre.

Je crois bien que c'est ma bouche et mes mains qui te le diront plus tard.

Comme on est bien ensemble.

On relaxe en notre compagnie semble-t-il. On se fait tant de bien.

C'est sans doute ce que je dirais, si je ne nous connaissais pas et que je nous observais de loin.

«À quand la prochaine intimité amoureuse, me demandes-tu?»

«Tu veux qu'on se retrouve après le travail pour refaire le plein de notre tendresse amoureuse...»

Mais nos libertés ont tant de difficulté à se rejoindre car tu es toujours terriblement pris par ton travail.

Nous nous étions engagés à nous donner de l'espace mais quand même pas à oublier nos corps-à-corps et nos coeur-à-coeur!

Ma peau frémit à ce souvenir...

Je sais que tu me voudrais plus souvent au creux de tes reins.

Mais donne-nous un peu plus de temps

et tu verras,

je t'amourerai bien davantage ce 27.

Moi

...la 20e LETTRE

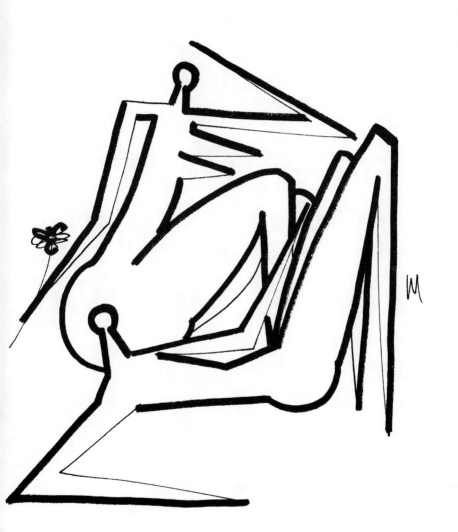

Cher toi,

J'ai depuis longtemps appris que la vie n'est qu'une série d'étapes que nous devons vivre les unes après les autres, qu'une série de besoins que nous essayons de combler.

Avant que tu n'entres dans ma vie, je ne savais pas que la tendresse en était absente. J'avais oublié sa douceur.

Tout comme l'amour et l'amitié, elle doit se vivre, comme le travail d'ailleurs!

Mais on peut très bien vivre avec une personne sans jamais la connaître tout à fait.

Car on ne donne que ce que l'on veut bien donner et on ne dévoile que ce que l'on veut montrer.

Et le reste est privé, personnel, à soi.

Voilà pourquoi on doit se faire confiance, croire que ce que l'on voit de l'autre correspond bien à sa vérité.

Mais chaque vérité a aussi son instant; et ce qui est vrai maintenant risque bien de ne plus l'être dans quelque temps.

Regarde le sable et la mer:

On dirait qu'ils sont faits l'un pour l'autre, qu'ils sont inséparables.

Et pourtant le sable du désert bouge, vit.

Il n'a pas besoin de la mer pour être magnifique. Ceux qui l'ont connu disent qu'il est beauté et splendeur.

Et quand on regarde la vague s'étirer sur le sable, on se dit que la mer serait moins fascinante si elle n'avait pas la plage. Pourtant elle est belle lorsqu'elle se jette sur le rocher.

Pourquoi l'homme et la femme ne seraient-ils pas comme ce couple mer-sable?

Beaux lorsqu'ils sont ensemble et beaux lorsqu'ils sont seuls!

Qui a dit que pour être heureux, il faut absolument être deux et tout le temps.

Les moments où nous sommes ensemble me font vibrer, me rendent heureuse.

Et les moments où tu t'éloignes me permettent de me rapprocher d'autres personnes avec qui je partage d'autres émotions.

Je suis moi avec toi et je suis moi sans toi.

Notre vie se fractionne en instants d'émotions, de sensations, de sentiments... nous devons tout vivre.

Mais j'ai parfois l'impression que toi, tu ne vis que pour ton travail et tu sembles oublier tout le reste un peu trop souvent.

Tu nous cherches toujours du temps!

Moi, vois-tu, je veux tout vivre.

Pourquoi n'essaies-tu pas de faire la même chose?

Moi

...21e LETTRE

Cher toi,

Je réalise de plus en plus que ta vie se fait beaucoup à partir de ton travail et pas tellement à partir de nous.

Tu es si souvent pris par tes dossiers, tes rapports à diriger...

Il me semble que tu te joues une pièce de théâtre qui ne me concerne pas. Et je me sens parfois comme l'entracte de cette pièce dont j'ignorerais la fin.

Jamais auparavant n'ai-je connu quelqu'un qui travaille autant que toi.

Pourquoi?

Que cherches-tu à prouver?

Je connais de nombreuses femmes qui se plaignent d'une rivale qui accapare l'homme de leur vie.

Moi, ma rivale, c'est ton travail.

Pourtant, je me souviens t'avoir demandé de me faire une place dans ta vie un peu comme moi je l'ai fait pour toi. Tu as essayé, oui, par moments... Mais tu m'as donné celle qui te convenait, celle qui faisait ton affaire.

Trop souvent, tu m'as casée dans ton horaire entre deux réunions, deux rendez-vous, deux téléphones ou deux dossiers à étudier.

Parfois, je sens que tu te culpabilises d'être avec moi alors que tes papiers, t'attendent sur ton bureau...

Tu ne me veux quand même pas à tes côtés pour te regarder travailler?

L'homme de travail a repris le dessus sur l'homme de tendresse que tu disais être devenu avec moi.

Ce soir, tu as signé un dossier d'une main pendant que de l'autre tu me caressais le sein. T'en es-tu seulement rendu compte?

Chers hommes,

Seriez-vous tous si pareils?

Si semblables pour conquérir et pour séduire?

Si je t'écris ceci, c'est que j'ai besoin de réfléchir à bout de crayon. J'ai besoin de me voir réfléchir.

Est-ce que tu m'as trompée?

Est-ce que je me suis trompée?

Pourtant à t'entendre et à te voir, on aurait pu penser qu'enfin l'homme nouveau était né, tendre, amical, doux, presque féminin dans ses émotions.

Celui qui n'a pas peur d'afficher sa tristesse, son affection.

Celui qui donne et qui aime cela.

Celui qui pleure et qui n'a pas peur d'être consolé.

Celui qui rit aux éclats et qui se sent bien.

Tel est l'homme que je pensais avoir trouvé.

Je me suis laissée séduire et j'ai eu envie de le séduire.

Mais je me méfie de ce travail que tu traînes toujours avec toi.

Ne suis-je qu'un vide affectif à combler ou suis-je une partie importante de toi?

Est-ce que tu joues à l'homme qui prend et qui abandonne? Ou est-ce que tu as envie de t'impliquer dans une relation?

Où en es-tu, dis-moi...

Méfie-toi; car même si le travail apporte certaines satisfactions je n'ai jamais entendu parler d'un dossier faisant l'amour, même bien préparé...

Souvent, tu m'as dit «Catherine, ne crains rien avec moi, jamais je ne te ferai mal.»

Mon ami, en ce moment, j'ai mal à nous, mal de nous.

Est-ce déjà la fin?

Pourtant, il y a entre toi et moi quelque chose de tendre qui ne demande que «sa» place.

Ce soir, mon corps te cherche; j'ai remarqué que presque toujours, nos yeux, nos lèvres et nos mains se disent nos émotions.

Pourquoi, nous, on n'arrive pas à se parler de ce qui va et de ce qui ne va pas?

Peur de se tromper?

Peur d'avoir mal?

Ou de faire mal?

Est-ce la peur de soi, la peur de l'autre?

Ce soir, je t'ai offert ma tendresse et tu as choisi tes dossiers me disant que tu n'en avais pas pour longtemps. Tu vis entre deux parenthèses, l'une pour le travail, l'autre pour l'émotion. Pas moi!

Ce soir, je cherchais ma place et je ne l'ai pas trouvée. J'ai l'impression que l'entracte est désormais terminé. Voilà pourquoi, je suis sortie sur la pointe des pieds et sur la pointe du coeur,

Adieu,

Moi

... LA DERNIÈRE... APRÈS PLUSIEURS SEMAINES

Cher toi,

Ce fut difficile, n'est-ce pas, ce coup de téléphone?

Tu m'as dit: «Catherine, si tu savais comme je déteste cet endroit maintenant. Chaque fois que je passe devant, je me souviens de cette soirée ratée et je nous revois si proches et pourtant si loin l'un de l'autre.»

Sais-tu que je ressens exactement la même émotion?

On m'y a invitée dernièrement et j'ai refusé d'y aller.

Je savais que cette soirée me remonterait à la mémoire. Nous devons désapprendre la tristesse. Et toi, tu veux maintenant apprendre à vivre différemment!

Cher toi, réalises-tu que nous nous sommes parlé durant neuf heures hier?

Nous avions tant à nous dire, n'est-ce pas?

J'ai enfin retrouvé ton regard; je pensais l'avoir perdu, je peux bien te le dire maintenant.

Tu m'as dit: «Catherine, j'ai eu si peur de te perdre.»

«Tu ne devinais pas mon désarroi devant notre silence? Notre

si long silence?»

J'ignorais que notre absence t'avait fait si mal.

Nous avons bien failli ne jamais nous revoir, n'est-ce pas?

Lorsque je pense à ces dernières 24 heures que nous venons de vivre, je me demande ce qui est le plus agréable; se trouver ou se re-trouver?

Car c'est exactement ce que nous avons fait: nous re-trouver!

Et ton corps se faisait tendre pour m'accueillir. Moi, je m'étais faite belle pour te recevoir.

Lorsque tu as dit: «Je ne veux pas te quitter ce soir», j'ai su enfin que nos retrouvailles étaient terminées et que l'homme de tendresse prenait enfin sa place.

Nous commencions un autre «nous». Nous re-commencions.

J'ai aimé te sentir me rendre heureuse.

Tu m'as dit: «Tu as l'air amoureuse»!

Oui je l'étais; abandonnée à tes caresses, tes bras enroulés autour de moi, ta tête au creux de mes reins, j'ai ressenti toute ta tendresse.

Comme on est bien quand l'amour est heureux...

Mon ami, où étais-tu ces dernières semaines?

Tu réfléchissais à nous n'est-ce pas?

«Catherine, j'ai rêvé à toi durant ton absence. Quelquefois, je me suis retrouvé dans d'autres bras; mais toujours c'était toi que je cherchais.»

«Ne m'abandonne plus, Catherine!»

Je suis là.

Hier ton corps t'a trahi de belle façon. Il y avait là un son qui me disait ton bonheur à me retrouver.

Enfin,

nous sommes là ensemble, maintenant.

Cher toi,

regarde ce que tu fais de moi:

une femme heureuse dans tout son être. Chaque fois que tes mains se posent sur moi, je m'adoucis, je te respire.

Chaque fois que je t'approche, ton corps me répond.

Comme j'aime ce moment, où allongés l'un contre l'autre, après l'amour, nos corps se reposent, se touchent.

Mais on ne devrait jamais dire «après l'amour», car l'amour est toujours là présent, dans nos yeux, dans nos silences, dans nos gestes.

Après l'amour, l'amour s'assoupit.

Il y a bien sûr, ceux qui se lèvent, ceux qui s'endorment, ceux qui se quittent, ceux qui se retournent. Nous, nos yeux continuent à se chercher, nos corps ont toujours ce goût de l'autre, nos mains se parcourent lentement, doucement. Tu habilles alors mon corps de tant d'émotion avec tes mains qui m'effleurent si délicatement.

Et je sens toujours ton corps frissonner sous mes caresses. Même au repos, ton corps me désire encore.

Tu as souvent répété qu'«il faut prendre le temps de s'apprivoiser». Ce fut difficile, n'est-ce pas, ce silence des dernières semaines?

Tu me disais, hier soir, avoir réalisé, lors de ma longue absence, comme ta vie affective de ces dernières années avait été comblée par le travail.

Tu t'y engouffrais, tu y trouvais là une compensation, une consolation.

Et il aura fallu que je te quitte pour que tu réalises maintenant qu'il n'est plus ta seule grande priorité, pour que tu découvres enfin le plaisir de partager une fin de semaine, un bon repas, une longue soirée en tête-à-tête.

Tu te spécialisais dans les heures supplémentaires. Maintenant, avec moi, tu vis aussi l'amour, la tendresse, l'amitié, la douceur.

Tu m'as demandé de ne pas m'inquiéter du lendemain car désormais, tu rechercheras l'équilibre dans ta vie.

Je crois que tu y arriveras et oui, je t'y aiderai.

Maintenant, je sais que demain, nous nous retrouverons.

Ce que nous vivons ensemble, tu l'as nommé «amour»!

À cette certitude de demain dans la tendresse amoureuse,

je peux bien te le dire maintenant,

moi aussi je t'aime,

Moi

IMPRIMERIE
L'ÉCLAIREUR
BEAUCEVILLE

7437